Angelina Purpurina

O Vitor deu risada, fingindo que soltava um espirro. Ninguém, além de MIM, percebeu.

— Obrigada pelo elogio, vovó. A senhora é errrr... muito gentil — eu disse (só pra dizer algo).

Entramos. O Vitor enfiou os dedos dentro do ouvido como se a música estivesse furando os tímpanos dele. É lógico que o JM o imitou. O papai beliscou as orelhas dos dois (uma de cada). Eles não reclamaram mais. Eu também não. Mas não pelos mesmos motivos. Eu estava PRESA na visão que tinha diante de mim. O salão tinha sido inteirinho decorado com LÃ,

NADA a não ser lã: guirlandas, lamparinas, pompons, flores de todas as cores se achavam pendurados no teto. Sobre as mesas viam-se espalhadas várias coisas IN-CRÍ-VEIS tricotadas:

- ♥ Sopeira de tricô.
- ♥ Telefone celular de tricô.
- ♥ Papagaio de tricô (bem feio, mas enfim…).
- ♥ Bolo de aniversário de tricô (com três velas).
- ♥ Escova de dentes de tricô.
- ♥ Torre Eiffel de tricô.

Tinha até um tipo de boneco de neve bem esquisito.

— O nome dele é Artur, e fui EU que fiz! — a vovó me contou, toda orgulhosa.

Eu não tinha nenhuma dúvida. A cara do Artur era familiar, parecida com a das esculturas que a vovó cria com vidros de conserva pra decorar o jardim. Falei que ele ficou maravilhoso. Não era bem assim, mas é importante incentivar as avós!

O salão estava lotado. As tricoteiras haviam juntado as suas famílias + vizinhos + amigos dos amigos (e talvez até os inimigos).

De repente, uma senhora de cabelos cacheados e de vestido (de tricô) com listras amarelas e pretas

BADABUM!

subiu em um banquinho. Ela parecia uma abelha gigante, SÓ que segurava um tambor e começou a batucar nele. Se vocês já viram uma abelha tocar tambor, me mandem a foto.

— O nome dela é Vanda, ela é formidável! — a vovó me falou.

— E agora, senhoras e senhores — a Vanda gritou —, chegou o momento tão esperado por todos, o grande final do nosso encontro: o SOR-TEI-OOO!

Ouvimos bravos e urras. A vovó bateu com a mão na testa.

— Nossa senhora, os meus bilhetes!

Ela pegou de dentro da bolsa de tricô cinco envelopes, nos quais havia escrito os nossos nomes, e os distribuiu entre nós. Dentro havia pedaços de papel com números carimbados.

— Droga, achei que era dinheiro! — o JM resmungou quando abriu o dele.

O papai o olhou com os olhos tão arregalados quanto os de uma coruja.

O senhor careca que segurava um microfone e se vestia de um jeito normal (acho que ele poderia ter colocado um gorro de tricô) subiu em outro banquinho agitando um pote transparente cheio de papéis dobrados pra dizer:

— Preciso de uma mãozinha inocente!

A vovó pegou o meu braço e me empurrou pra frente.

— Teodoro, use a mão da minha netinha ANGELINA!

— Ah, mas que blusa elegante! Foi você quem tricotou, querida Margarida? — O jeito como o senhor careca falou deu a entender que ele tava apaixonado pela vovó.

Ela esboçou um sorriso discreto e muito modesto.

— Eu mesma, meu querido amigo!

— Muito bem. Pegue um papel, senhorita Alina! — ele ordenou.

Não ousei corrigir o meu nome. Todo mundo tava me olhando.

Apanhei um papel. Ele o tomou da minha mão.

— O número ganhador é... ZERO ZERO SETE!

A Vanda começou a tamborilar. Isso durou... muito tempo... Muuuuito tempo... E então... NADA.

— QUEM tem o número zero zero sete? Vamos lá... — insistiu o Téo-Crânio-de-Joelho (acabei de inventar esse apelido e, sem modéstia, combina muito com ele).

A vovó fazia sinais pra mim, desenhando um quadrado com as mãos. De repente, entendi: o meu envelope! Conferi os meus números.

— Iúpiiii! Sou EU!

Tambores ecoando em dobro.

— Alguém está com sorte hoje: a ganhadora é ALINA Purpurina! — o TCJ declarou (vocês sabem quem é).

— ANGELINA! — a vovó corrigiu (ainda bem).

Me entregaram um embrulho quase tão grande quanto o tambor da Vanda. Até achei que fosse um. Eu ia gostar. Mas não era. O careca me ajudou a desembrulhar. Parecia um mixer, uma cafeteira, só que maior, com uma manivela, umas agulhas... Um motor? Um aparelho de dentista? A minha avó pegou o microfone e disse:

— Extraordinário! A MINHA neta ganhou o TricôTurbo! É um sinal do destino! Você vai puxar a mim, minha querida, vai ser TRICOTEIRA! Aplausos, por favor.

Ao dizer isso, ela me pegou nos braços...

Turbo-soluço

AGRADECI COMO SE (JÁ) FOSSE UMA CANTORA FA-mosa. Esse é o meu sonho — muito mais do que ser tricoteira, com certeza! Mas não se recusa aplauso. Durante toda a tarde, recebi cumprimentos, sorrisos, incentivos, tortas (pra comer, lógico, não na cara: a vovó e as amigas dela tinham feito um monte, doces, salgadas e até agridoces).

Quando saímos, eu já estava até zonza, mesmo só tendo bebido suco de maçã e limonada. Porém, DOIS

INDIVÍDUOS não sorriam: os meus irmãos, vocês adivinharam. Eles estavam chateadíssimos.

Não é pra menos... Olha só o que eles ganharam no sorteio:

🌱 Vi: uma toalhinha bordada.

🌱 José-Máximo: um pompom (marrom).

Levei um tempo pra achar um lugar pra esconder o TricôTurbo no meu quarto. Por sorte ele cabia embaixo do guarda-roupa. Eu o empurrei até o fundo. Tinha outra urgência: aprender SETE verbos no infinitivo pro dia seguinte. Ótimo presente. Prefiro outro TricôTurbo.

Os dias seguintes foram complicados, porque a Catarina, minha melhor amiga, levou pra escola uma caixa com doze vidros de esmalte que saem com água, presente da tia dela que vive mimando a sobrinha.

🌼 Daí testamos os esmaltes no recreio. Estávamos tão concentradas que não ouvimos o sinal, e subimos atrasadas pra sala.

🌼 Daí a professora Paola nos deu uma bronca e nos mandou pro corredor, e a Catarina chorou igual requeijão derretido (ou é manteiga? Não lembro mais...).

🌸 Daí o diretor se intrometeu, a gente disse que levou bronca (sem explicar muito bem o motivo), e ele mandou a gente entrar de volta na sala, e disse bem alto pra professora que não é correto deixar alunas sozinhas no corredor daquele jeito.

🌸 Daí ela fez aquela cara de brava e começou a discutir (em voz baixa) com o senhor Carvalho (o diretor), e parece que a coisa ficou feia.

🌸 Daí, quando ele foi embora, ela mandou a gente (a Catarina e eu) escrever trinta vezes:

Não devo confundir a escola com um salão de manicure.

🌸 Daí a Rosita (que faz perguntas o tempo todo) perguntou: "O que é 'manicure'?" quando a professora Paola tinha acabado de mandar a gente ficar em silêncio!

🌸 Daí ela mandou todo mundo procurar no dicionário e copiar trinta vezes:

MANICURE: conjunto de cuidados estéticos com as unhas.

❀ Daí, no dia seguinte, os pais da Ximena Cerebelo (a melhor aluna da classe) reclamaram que isso não estava no programa, e a professora ficou ainda mais nervosa, o que fez com que a gente tivesse a pior de todas as chamadas orais surpresa.

❀ Daí...

Chega.

Já estou me desviando demais do assunto. Não é isso que quero contar.

Quero contar do susto que tive quando abri a porta do meu quarto à noite: o TricôTurbo estava lá, MAS o embrulho (caixa) estava caído, entreaberto e até meio rasgado na parte de trás...

Não achei os meus irmãos no quarto. Corri pra garagem. Os dois serravam um pedaço de madeira. O Vi tinha colocado a máscara contra poeira, e o JM, os óculos de proteção do papai.

— Vocês mexeram no meu TricôTurbo! — rugi.

Eles nem levantaram a cabeça.

— Qual o problema?

— Você nem usa aquilo, mesmo!

— Vou contar pro papai e pra mamãe!

Eles pararam de serrar. O JM ergueu os ombros.

— Você não sabe fazer outra coisa na vida além de DEDURAR, sua chatinha?

— E vocês? O que VOCÊS sabem fazer além de ME IRRITAR?

O Vi ergueu a máscara.

— Minha Angelina queridinha, seja razoável. Esse TricôTurbo é HORRÍVEL, ninguém vai usar um negócio feio desse. O clube da vovó deve ter comprado isso usado, em promoção, ou numa liquidação, de alguém que queria se livrar daquela porcaria...

— Talvez até tenham achado no lixo — o JM completou.

Eles voltaram a serrar. Decidi ir embora. Andei até a porta.

Eles soltaram tudo rapidinho pra me impedir de passar.

— Olha só, irmãzinha, a gente tem uma

proposta. Se você topar, a gente revela o nosso projeto *Top Secret*!

Senti os meus cabelos ficando em pé. Eles não ficaram em pé de verdade (os meus cabelos), mas pareceu que sim. Quando os meus irmãos me chamam de "irmãzinha" é porque estão tramando alguma coisa terrível.

— Nós precisamos do seu TricôTroço! — o JM começou a dizer. — Vamos desmontá-lo pra pegar umas peças pro nosso projeto *Top Secret*!

Tive vontade de bater neles.

— Querem saber de uma coisa?! — explodi. — A resposta é NÃO, NÃO e NÃO! Não ligo a mínima pra esse PROJETO *TOP SECRET* de vocês! Podem cortar em pedacinhos e fazer uns colares com ele que não tô nem aí! Se vocês não me deixarem sair daqui agora, já, imediatamente, vou ligar o meu TURBO-SOLUÇO mortal mortalíssimo, ENTENDERAM?! Vou contar até TRÊS...

Não precisei nem dizer UM!

Nervos em novelos

AH, É DEMAIS, NÉ? TENHO O MEU ORGULHO, AFINAL de contas. Sou uma PURPURINA também, não um cocozinho de pomba que as pessoas podem pisotear como quiserem. Eu ia ensinar uma lição pros meus pavorosos irmãos. E ia usar o TricôTurbo! E fazer coisas maravilhosas com ele. E eles iam ficar bem EMBOLADOS.

Na quarta-feira, assim que eles saíram pro futebol, coloquei a máquina em cima da mesa. Que pesada de levantar! Tentei três vezes. Cheguei a pensar que não ia conseguir nunca. Mas consegui! Não sou nenhuma fracote, eu, a ANGELINA 007! Depois de tirar os acessórios (pelo menos dez) do fundo da caixa, fui correndo buscar o radinho da cozinha pra ouvir música enquanto continuava. Isso me daria mais ânimo. E eu tinha razão. *Princesa Margot, a Rainha das Estrelas*, uma das minhas músicas favoritas, estava tocando exatamente naquele momento. Comecei a ler o manual. Ele tinha treze páginas. Afffe, um belo presente. Eu preferiria treze verbos no infinitivo. É mais fácil de entender. Logo no primeiro parágrafo, comecei a suar debaixo dos braços. E até nas costas. Imaginem:

★ Passe o Fio F por dentro da Presilha P passando pela Chave C.

★ Passe em volta das Tarraxas da Primeira Coroa PC.

★ Contorne o Fio F2 em volta da Malha da Borda MB.

★ Da fileira 1 até a fileira 3, alterne entre o Circuito Duplo CD e o Circuito Fechado CF.

★ Da fileira 4 até a fileira 6, alterne entre o Circuito Crochê CC e o Circuito Simples CS.

★ 7 a 10: faça o inverso.

★ 11 a 13: dobre.

★ E assim por diante…

Em um estojo havia quatro bolinhas de modelo, muito fofas. Uma rosa, uma amarela, uma azul e uma verde. Decidi experimentá-las seguindo os desenhos em vez das explicações. Ia ser mais rápido.

Distribuí as lãs ao acaso. Ficou legal com as cores. Mas assim que girei a manivela, tudo se contorceu, misturou, enrolou, embaralhou, parecia que um bando de gatos loucos estava lutando com almofadas no TricôTroço…

HORRÍVEL.

Eram três horas e treze minutos.

O Pedro com certeza já tinha passado na frente de casa (como faz toda quarta quando vai pra aula de violino)...

Eu NEM pensei isso. Só pra ter uma ideia da minha situação.

A minha vontade era jogar tudo pela janela. Ou chorar. Ou as duas coisas ao mesmo tempo. Mas eu sabia que se fizesse isso nada ia mudar.

Ao contrário.

Tive a ideia de sair pra caminhar um pouco, dar uma volta, me acalmar. O papai faz isso às vezes, quando tá nervoso. Foi uma boa ideia. Por quê? Por causa do que aconteceu depois!

Adivinhem quem encontrei na esquina da rua das Bigornas!

A Vanda, a abelha do clube da vovó (mas ela estava usando um vestido normal).

— E então, Angelina, tá arrasando com o Tricô-Turbo? — ela me perguntou.

"Estou é arrasada, isso sim", pensei. E contei sobre os meus problemas.

Os olhos dela brilharam.

— Que desperdício! Eu queria tanto ter ganhado! Quer vender pra mim?

Quase respondi "Por quanto?", mas imaginei a cara feroz que a vovó faria se descobrisse, e isso foi como um balde de água fria.

— Errr… Emprestar… melhor… talvez… mas… (nesse momento, uma megaideia, uma ideia GE-NI-AL, escorreu do meu cérebro)… em troca, a senhora não me ensinaria a usar? Tenho um plano de… de dois… de dois presentes!

A Vanda me deu um beijo em cada bochecha.

— Ah, é claro que sim, que alegria! E pode me tratar por "você"!

MISSÃO BLUSAS HORRIPILATES!

A Vanda foi buscar o carrinho de feira (ela mora perto, na rua dos Moluscos). O TricôTurbo cabia dentro dele. Considerei isso um bom sinal. E era. Fomos até a casa dela.

Quando nos acomodamos no sofá, eu expliquei a minha ideia.

— É isso, eu queria fazer duas blusa de tricô… mas elas precisam ser HORRIPI*LÃ*TES!

Ela fez uma careta.

— Como?

— Horripi*lã*tes, ou seja, blusas de lã horripilantes, o mais HORROROSAS possível!

— É pros seus irmãos? — ela perguntou, dando uma piscadinha.

A Vanda tinha entendido tudo. Segundo ÓTIMO sinal.

Fomos até o sótão da casa dela buscar uma mala onde estava escrito RESTOS FOFOS. Isso me fez pensar em RATOS GORDOS, a banda (péssima) preferida do Vi, mas não tinha nada a ver: eram só os restos de lã velha que a Vanda guardava.

— Gosto tanto desses novelos, não consigo me desfazer deles... — ela murmurou.

Perfeito! Desde esse dia, fui mais treze vezes na casa dela. Tricotar, mesmo com um TricôTurbo, não é nada fácil, viu? Mas ia valer a pena. Descrição das blusas tricotadas:

- Pro Vi: gola rolê mostarda, mangas turquesa, uma mais comprida do que a outra; na parte da frente, o desenho de um castor que parece um vômito, e embaixo dele escrito VITOR PURPURINA.

- Pro JM: colete de lã roxo, franjas laranja nos ombros, furos em volta da gola; nas costas, desenho de um cisne tricotado que

parece um guindaste, e embaixo escrito JOSÉ-
-MÁXIMO PURPURINA.

Sério, ficou sensacional. Papel de seda, fita dou-
rada: embrulhamos como se fossem as blusas mais
chiques da face da Terra.

Entreguei pra eles na hora da sobremesa, depois
do jantar. Como se fossem as blusas de lã mais chiques da face da Terra. Eu ensaiei, ensaiei, ensaiei
na frente do espelho pra ficar com cara de que super
acreditava no que tava dizendo:

— Estou muito orgulhosa de poder oferecer aos
meus irmãos esses presentes feitos com os meus dedos de carne e osso e com o meu TricôTurbo e todos
os meus esforços criativos mais genuínos, e também
com a ajuda do CTR, Clube de Tricô de Rigoleta...

Funcionou direitinho. Ninguém riu. Nem eu.

Menos ainda os meus irmãos. Principalmente
quando o papai e a mamãe obrigaram os dois a me
dizer: OBRIGADO.

2. A volta às aulas dos Pedros

Passos de soldado

JÁ FAZIA DOIS OU TRÊS DIAS QUE TÍNHAMOS VOLTADO pra escola depois das longas férias de verão — que pra mim nunca são suficientemente longas.

Enfim, a rotina estava voltando a ficar normalzinha, e os meus irmãos continuavam fazendo as suas pavorozices (inventei essa palavra especialmente pra eles, pra mostrar como eles são PAVOROSOS). Isso eles nunca param de fazer. Mas não quero falar muito delas, senão vou ficar nervosa. Volto a falar depois, quando não for possível escapar.

Essa segunda-feira já começou mal: fui obrigada a usar meias. Bom, elas eram cor-de-rosa e novas, e tinham estampa de flores + uns babadinhos muito fofos, o que me consolava um pouco quanto à chuva e ao vento, mas não totalmente. Logo depois do mês de janeiro, é preciso voltar a:

1) estudar;
2) usando meias.

Acho que todo mundo concorda que isso é bem chato, né?

Eu caminhava na direção da escola esperando encontrar... vocês sabem quem? O Pedro Quindim, meu amado, claro! Se vocês me conhecem, também conhecem o Pedro. Se ainda não conhecem, vão conhecer. Ele é o menino mais legal da Joel Jocoso (é o nome da nossa escola).

Pelo menos, pra minha felicidade, o JM não estava se arrastando do meu lado igual a uma trouxa de roupas sujas. Os nossos pais costumam nos obrigar a fazer o trajeto juntos (estudamos na mesma escola, ele tá no quarto ano, e eu, no terceiro). Mas naquela manhã ele tinha pegado uma gripe, e estava fazendo tanto drama pra escapar das gotas que a mamãe tentava pingar no nariz dele que às oito e dezoito eu explodi:

— Bom, desculpa aí, mas a senhorita Paola (minha professora) avisou que seria INTOLERANTE com os atrasos, então, ESTOU INDO.

— Tá! — a mamãe gritou enquanto corria atrás do Max pela sala.

Na esquina da rua dos Moluscos, comecei a andar feito um soldadinho. Alguns militares andam assim, vocês já viram? Eles desfilam levantando a perna bem alto. A gente poderia achar que é pra dar uma de tonto, mas não é nada disso, é pra parecer um grande guerreiro. O meu passo de soldadinho particular não tem nada a ver com o deles, eu só usei esse nome porque gosto dele. Imagino uns soldadinhos de brinquedo com coturnos e quepes em miniatura...

As palavras são de todo mundo, não é verdade?

Descrição da minha técnica:

- Três passos pra frente, normais, mas bem curtos e bem lentos.
- Meia-volta.
- Três passos no sentido contrário, bem compridos e rápidos.
- Me abaixo como se quisesse pegar alguma coisa do chão.
- Assim posso observar a rua das Antigas Embarcações, por onde o Pedro chega.
- Se ele aparecer, me levanto e me arrumo pra chegar bem na frente dele, como se tivéssemos nos encontrado por acaso.

Isso nem sempre funciona. Raramente até. Mas quando funciona, é MARAVILHOSO. Então eu estava parada, meio de cabeça pra baixo, quando alguém correu na minha direção, gritando:

— Ei, icho é cheu!

O tom não era de uma "pergunta-ponto-de-inter-rogação", mas de uma "afirmação-ponto-de-exclama-ção" (como a professora Paola sempre fala).

De ponta-cabeça, ele parecia... um peixe cus-pindo perdigotos.

Na posição certa, era um menino de uns seis anos, com um nariz grande, cabelos loiros, óculos re-mendados com esparadrapo...

— A minha CE! — Saltei quando reconheci a minha CE (carteirinha de estudante) na mão dele. — Como você sabia que era minha? A gente não se conhece...

— Achei ali na sarcheta, depois vi vochê procu-rando no chão, é por icho! — Ele cuspia ainda mais.

Tive até vontade de dar um abraço nele, apesar dos perdigotos. Não a ponto de abraçar de verdade, mas quase.

Em vez disso, abracei a minha CE.

— OBRIGADÍSSIMA, você me salvou! A professora deu a carteirinha pra gente ontem. Se eu perdesse: socorro! Como é o seu nome?

— Pedro Choxxfsta (ou alguma coisa do tipo), estchou no primeiro ano e logo vou chaber ler!

Eu queria dizer alguma coisa legal pra ele, mas nada me ocorreu na hora. O meu cérebro ficou paralisado diante do nome PE-DRO, como se eu tivesse levado uma martelada na cabeça. Impossível essa larvinha cuspidora de perdigotos se chamar Pedro! Pra mim, Pedro = menino bonito perfeito inteligente campeão de tudo tocador de violino com cheiro bom de limão que me ouve quando eu falo enfim MARAVILHOSO. Fiquei tão chocada quanto se ele tivesse vindo me avisar que os apaixonados agora iam se chamar piolhos, e os violinos, parafusos enferrujados.

Na sala de aula, a coisa não melhorou.

Mal me sentei no meu lugar e já senti um cheiro horrível de chulé.

— Eca, que fedor! — falei comigo mesma (pelo menos achei que não tivesse falado aquilo alto).

O meu vizinho da frente se virou pra mim. Ele tinha os cabelos castanhos e encaracolados.

Eu nunca o tinha visto. Mas ele me ouviu.

— Quer? Experimenta! É um sanduíche com queijo cottage feito de leite fermentado, uma delícia! — Ele me lançou um sorriso cheio de pedaços de queijo entre os dentes, esticando um sanduíche mordido na minha direção.

Senti ânsia.

Nesse exato momento, a professora falou:

— Por favor, cumprimentem o novo colega de vocês, o Pedro Gomes. Levante-se, PE-DRO. — Antes de obedecer, o meu vizinho escondeu o sanduíche embaixo da mesa. Conto com vocês para dar a ele as boas vindas calorosas e gentis que VOCÊS gostariam de receber se um dia VOCÊS mesmos chegassem a uma nova… blá-blá-blá…

A continuação se embaralhou na minha mente.

CDMPPTS

No recreio, fui encontrar a Catarina (minha melhor amiga).

— Preciso te contar uma coisa muito louca! Hoje de manhã, na rua, encontrei um novo aluno do primeiro ano, e sabe como é o nome dele?

A Catarina me olhou com os olhos arregalados feito duas bolas de gude.

— Ué, Angelina, não, como eu poderia saber? Não sou adivinho… adivinha… Quando é menina, a gente fala "adivinho" ou "adivinha"?

— Ah, não sei... Adivinha!

— Ué, por que você diz que não sabe, depois diz "adivinha"?

— Caramba! Eu não disse nem "adivinho", nem "adivinha", tô pedindo pra você ADIVINHAR o nome do menino do primeiro ano que encontrei na rua!

— Will?

Como eu sou boba! Devia ter imaginado que ela ia aproveitar pra falar do Will de novo. Ela é ob-ce--ca-da por ele. É um menino do quarto ano da escola Gaivotas. A Catarina acha o Will bonito e legal. Pra mim, ele é feio e chato, e além disso se acha o máximo. Mas é isso, gosto não se discute...

— Errou! O nome dele é PEDRO! Inacreditável, né?

Ela deu de ombros.

— O que é que tem?

— Com o nosso já são DOIS novos Pedros na escola!

— Que nosso?

— O NOVO aluno que chegou à nossa classe hoje de manhã e que tava comendo um sanduíche de queijo cottage antes da aula de gramática. Lembra que o nome dele também é PEDRO?

— Ah, é? Ele tava comendo queijo cottage? — ela repetiu, com cara de distraída.

— Você tá fazendo de propósito? — perguntei, quase gritando. — Está com o nariz e os ouvidos entupidos, por acaso? Parece até que tô falando com a ROSITA!

Detalhe: a Rosita Pilão é uma menina da nossa sala que vive no mundo da lua e que faz perguntas o tempo todo, sempre depois que o bonde já passou. Só que desta vez a Rosita não tinha (perdido o bonde), nem os ouvidos entupidos. A prova? Assim que falei o nome dela, ela veio correndo.

— Você me chamou, Angelina?

Ops.

— Err... não, quer dizer... sim. Era só pra... errr... Você sabia que na nossa escola tem dois novos alunos chamados Pedro, Rosita? Engraçado, né?

— Humpf... — a Rosita murmurou.

Nesse instante, a Eloá Filigrana (eu a chamo de Eloanta, e esse apelido serve nela como uma luva), que tá sempre com os ouvidos atentos, apareceu no meio da gente, dizendo:

— Não tem DOIS Pedros; tem CINCO, isso sim! Vocês precisam se atualizar, meninas, sabiam disso?

Estão vendo, lá do outro lado, o menino grande, de camiseta vermelha, que tá jogando basquete? É um novo Pedro do segundo ano, hi hi! E o ruivo ali deitado no chão? Mais um novo Pedro, esse tá no quinto ano, ha ha! Sem contar o Pedro Quinnnndim, claaaaro, seu amorzinhoooo queridinhoooo, não é, Angeliiiiina?

Essa Eloá me irriiiiiita! Tive vontade de responder algum desaforo...

Mas a senhora Amarelinda (a inspetora que também é enfermeira + bibliotecária e que é inconveniente) tava dando voltas por ali.

— Nhé, nhé, nhé! — Fiz uma careta furiosa. — Nada a ver, Eloá Filigraaana! E quer saber? Ninguém liga se tem dois Pedros, ou cinco, ou doze, ou treze mil Pedros na escola, não é, meninas?

Pra enfatizar o meu discurso, segurei no braço da Rosita de um lado, no da Catarina do outro, e demos o fora dali.

Achei que tinha me livrado da Eloá, mas com aquela praga não se brinca: quanto mais a gente quer que ela baixe a bola, mais ela se acha.

A Eloanta usou toda a sua ANTITUDE (eu mesma inventei essa palavra, e as derivadas seguintes, pra mostrar o quanto aquela anta é uma peste) pra atrapalhar, envenenar, e eu diria até ANTENTAR com o "Dossiê MultiPedro", como ela chama...

Lista das ANTIFICAÇÕES, na ordem:

1) Terça-feira: criação de um Clube Secreto limitado a três membros (Eloanta + Ugo Mineli, o mais convencido do terceiro ano + Gregório Dias, o mais brigão do quinto ano). Apelido do clube: CDMPPTS. Nome completo > Clube Dossiê MultiPedro Particular *Top Secret* (levei cinco minutos pra descobrir).

2) Quinta-feira: invenção de piadas idiotas sobre os Pedros. Não vou escrever nenhuma delas neste diário de tão bestas que são.

3) Sexta-feira: desenhos dos Pedros em poses ridículas. O Ugo foi pego fazendo um desenho do Pedro Gomes com uma cabeça de queijo cottage. Ele teve que se desculpar na frente de toda a sala e fazer um desenho de SI MESMO com uma cara ridícula + trazer a assinatura dos pais. Bem feito pra ele, que se acha um *superstar*!

4) Isso não desanimou a Eloá. Acho até que a deixou bem mais animada. Na segunda-feira seguinte, ela criou um concurso aberto pra toda a classe (menos pro Pedro Gomes). O objetivo? Encontrar os melhores apelidos pros Pedros.

Depois da punição do Ugo, achei que ninguém ia se arriscar a participar...

Quindinzinho

Mas eu estava enganada, ai ai! O concurso co-meçou a toda a velocidade e se alastrou como um grande incêndio.

Principalmente quando a Eloá anunciou que os melhores ganhariam presentes.

— Que presentes? — o Yuri quis saber.

A Anta colocou o dedo na boca e disse:

— Surpresaaaaaa!

(Boa sorte pra quem espera boas surpresas da parte dela...)

— E QUEM vai dar as notas? — quis saber a Cerebelo, a melhor aluna da classe.

— EU, é claro! — A Eloá sorriu (como se fosse uma boa notícia).

— Posso participar? — o Pedro Gomes suplicou. (Ele é tonto ou o quê?)

— Claro! Você tem um ótimo senso de humor, muito bom! — A Anta aplaudiu e depois deu um beijo nele. (Cada vez pior.)

No recreio, todo mundo (menos eu) pensava em apelidos.

Até encontrei um pedaço de papel enrolado com uma lista de apelidos na lixeira do banheiro do pátio coberto:

* Pedro Amargo
* Pedro Zarolho
* Pedro Pudim
* Pedro Matraca
* Pedro Soneca

Uma questão me atormentava: o Pedro Quindim, o MEU Pedro, estaria por dentro desses horrores?

Não falei com ele o dia todo (o que é raro acontecer, admito). Fiquei com medo de que ele tocasse no assunto. E principalmente: que ele achasse que eu tava envolvida nisso. Infelizmente, desta vez eu não estava errada…

Na saída, ele veio conversar:

— Cara Angelina, você certamente está a par da minha provação. Perdi a exclusividade do meu nobre nome: PEDRO…

— Isso é, errr… por causa dos novos Pedros da escola, né?

(Ele é o melhor TAMBÉM com o vocabulário, nunca entendo direito tudo o que o Pedro diz.)

— Exato. Você conhece a origem do MEU nome?

— Err... Vem de... espelho? — falei, só pra falar alguma coisa.

— Ha ha ha! — Ele riu e eu fiquei toda derretida, mas entendi que não era a resposta certa.

Lancei uma outra ideia:

— Não seria, por acaso... imperador?

Ele parou de rir.

— Boa tentativa. Poderia ser. Mas a sua resposta não está correta. O MEU nome tem origem

na Grécia, no nome grego *Pétros*, que significa pedra, rochedo. Ou seja: um menino FORTE COMO UMA ROCHA!

Eu ia dizer que isso combinava MARAVILHOSAMENTE bem com ele quando o Pedro continuou:

— Aliás! Descobri que está acontecendo um concurso de apelidos que surgiu na sua sala. Espero que você não seja responsável pela criação dessa lamentável iniciativa!

— Oh, Pedro! Como você pode... pode... *supeistar* de mim?

— Você quer dizer "suspeitar"?

— Sim, é isso!

— Não quis dizer isso, meu problema é seu IRMÃO. Ele me importunou a tarde toda com apelidos grotescos...

Senti um nó na garganta.

— O meu irmão RIDÍCULO!

— Apelidos grotescos como "Quindim de Repolho", ou "Violino Maluco", e o mais pavoroso de todos: "Quindinzinho"! Ninguém nunca me tratou assim...

Ele parecia muito triste.

— Estou tão FARTO — ele continuou — que chamei o seu irmão para um DUELO. E sabe o que ele respondeu? "Sem essa, Quindinzinho, eu vou é ganhar uma grana à sua custa no concurso do terceiro ano!"

— Eu poderia tentar falar com meu irmão. — Pensei que precisava fazer algo.

— Jura, Angelina? Você faria isso por mim? Você me faria o garoto mais feliz do mundo só de tentar!

Depois dessas palavras tão doces eu não poderia ficar parada... eu precisava dar um jeito no meu irmão!

O melhor dos Ps

PROCUREI O MAX EM TODO CANTO, NO PÁTIO E FORA do pátio… Nada. Pela primeira vez, eu QUERIA voltar da escola com ele e pedir explicações. Pensei que o encontraria em casa. Também não. Liguei pra floricultura pra avisar à mamãe. Ela me disse que fui muito gentil (!) por me preocupar com o meu querido irmão (!!), mas que não precisava porque ela dera autorização ao JM pra dormir na casa do Bob Minerva, amigo dele, pra revisar um vocabulário muito importante…

Fiquei gaga boba atordoada. Revisão na casa do Bob Minerva? O rei dos preguiçosos engraçadinhos? E a mamãe ENGOLIU essa? Esse escândalo ficou girando na minha mente até eu ouvir o furgão Floréis (nome da nossa floricultura) parar na frente do portão.

Fui encontrar os meus pais na varanda.

— Não é por nada, mas quero dizer pra vocês que o JM contou uma mentira do tamanho de um elefante!

— Como? — O papai suspirou.

— Se acham que foi pra ESTUDAR que ele quis dormir na casa do Bob Minerva, vocês estão SONHANDO!

O Vitor abriu a janela do quarto dele. Eu não esperava por isso.

— Não acredito no que estou ouvindo! Que dedo-duro essa Angelina! Ela tá dedurando sem nem saber! Eu falei com o JM: ele estava superanimado pra estudar!

Os meus irmãos dão cobertura um pro outro. Um está sempre defendendo o outro. Resultado: QUEM levou bronca? Eu. E eu que cuidasse da minha vida, e que se o JM tinha decidido se tornar um menino sério, O PAPAI E A MAMÃE, COMO PAIS DELE, decidiram confiar nele e pi-pi-pi e po-po-pó...

— Você com certeza tem lição pra fazer! Sobe agora pro seu quarto e volta pra nos mostrar tudo pronto! — a mamãe mandou.

É revoltante. Fiquei revoltada.

Até sonhei com isso à noite. O Pedro e eu passeávamos em uma falésia, na beira de um precipício, quando vozes começaram a perseguir a gente aos gritos:

— Pedroso! Horroroso! Angelina! Cretina!

As vozes falavam Pedroso em vez de Pedro. O eco fazia:

— PE-DROSO-OSO-OSO! HORRO-ROSO-OSO--OSO!

— AN-GELINA-INA-INA! CRE-TINA-INA-INA!

Era horrível.

Na manhã do dia seguinte, chegando à escola, procurei o JM no pátio. Nem sinal. Como sempre. Foi então que o Pedro veio correndo na minha direção, quase sem fôlego, transpirando, todo vermelho, inclusive os olhos, pra dizer:

— O seu irmã-ão, me-me cha-há-mo-hou de QUI--HIN-DINZINHO PE-DRE-GU-LHINHO!

Ele soluçava. E desabou nos meus braços como se fosse um coelhinho doente, e eu, a sua mamãe coelha. Vi que a Eloanta estava rindo. Fui tomada por um calor de ira. Fiz o Pedro se sentar num banco e subi em cima dele (do banco).

— AGORA CHEGA! O PRÓXIMO QUE INCOMODAR O PEDRO QUINDIM VAI... VAI... VAI VER SÓ!

— Ah, que mentirosa-a! Ela tá apaixonadinha e toda melosa-a! — alguém falou.

Quem? O meu irmão pavoroso? Não posso garantir. Mas o que posso garantir é que primeiro três, depois cinco, depois vários outros passaram a repetir em coro:

— AH, MENTIROSA-A! ELA TÁ APAIXONADINHA E TODA MELOSA-A!

O Pedro segurou o meu braço.

— Vem, Angelina! Essa é a gota d'água! Já estou cheio desta escola! Adeus, Joel Jocoso cruel! NÓS VAMOS EMBORA!

A porta estava entreaberta. A gente correu. Ele fechou a porta após a nossa passagem e declarou:

— Vamos pra uma ilha deserta!

Ele parecia um pouco maluco. Corremos. A rua tava do mesmo jeito de sempre, mas, ao mesmo tempo, bem diferente. Eu tinha a impressão de estar atuando num filme.

Antes de chegarmos à avenida das Gaivotas, porém, surgiram duas bicicletas de onde vinham sons de apitos. Uma pela frente, outra por trás. Elas bloquearam a nossa passagem. Na primeira bicicleta estava o senhor Carvalho, o diretor. Na outra, a senhora Amarelinda.

— MEIA-VOLTA! — ela gritou, fazendo um gesto de policial.

Os meus dentes rangiam. Achei que tinha chegado a hora da minha partida.

Mas, na verdade, não. O que aconteceu foi que eles levaram a gente pro ginásio. Todos os alunos da escola foram pra lá. O senhor Carvalho informou que era um caso de histeria coletiva e que ele não ia perder o seu tempo tentando descobrir quem fez o quê.

— O que é "hixteria colietiva"? — a Rosita perguntou.

Zero surpresa. Mas saibam que eu também não sabia o que era. A senhora Amarelinda explicou que se tratava de uma crise emocional de todo mundo junto.

— Toda vez que um de vocês testemunhar uma piadinha contra um aluno ou um grupo de alunos — o diretor continuou —, exijo ser informado. E AS PUNIÇÕES SERÃO APLICADAS!

Então a senhora Amarelinda leu um papel:

— Vamos diferenciar os Pedros pela primeira letra do sobrenome deles, ou seja:

- ✦ 1º ano - Pedro C, de Costa.
- ✦ 2º ano - Pedro O, de Oliveira.
- ✦ 3º ano - Pedro G, de Gomes.
- ✦ 4º ano - Pedro Q, de Quindim.
- ✦ 5º ano - Pedro L, de Loreto.

O diretor bateu palmas mandando todo mundo voltar pra sala de aula. Finalmente vi o meu irmão na fila do quarto ano. Ele e o Bob até estavam abraçados, mas não bancavam mais os engraçadinhos.

— Pedro Q… o melhor! — consegui cochichar na orelha do MEU Pedro.

Ele sorriu. Pra mim. Só pra mim. E ninguém percebeu nada.

Nem a Eloanta. Ela estava bem séria. Já não era sem tempo.

— E aí, o que são esses seus superpresentes? — o Yuri perguntou pra Filigrana.

Céus! Eram balas bem ruins. Ela distribuiu pra todo mundo. Mas ninguém pediu mais.

3. Que circo!

Uma carta amarela

VOCÊS JÁ RECEBERAM UMA CARTA AMARELA?

Eu nunca (antes desta história)… E além disso, vocês já VIRAM um envelope tão amarelo quanto um sol do mês de janeiro escapando da caixa de correio durante o frio gelado do mês de junho? Eu: sim.

Eu estava abrindo o portão pra ir pra escola quando ele surgiu na minha frente (o envelope). Não tinha nada escrito do lado de fora, nem selo. Pensei que fosse uma carta de amor do papai pra mamãe. Peguei o envelope e corri pra casa.

— O que deu em você? Que carta é essa? — o José-Máximo, meu irmão do meio, resmungou nas minhas costas.

— Fica aí tentando adivinhar! — respondi enquanto subia as escadas da varanda de três em três degraus (não consigo subir de quatro em quatro: as minhas pernas são curtas demais e, de todo modo, não daria a conta certa porque a escada tem seis degraus). Foi o Yuri (um amigo da minha sala) quem me ensinou a resposta. Gosto dela e uso bastante com os meus irmãos. Mas vamos voltar pro envelope.

Por que uma carta de amor amarela do papai pra mamãe?

Boa pergunta. Por três razões:

1) A mamãe adora amarelo, ela tem esmalte amarelo (prefiro ROSA, mas enfim...), uma capa de chuva amarela e até um guarda-chuva amarelo.

2) Os homens apaixonados dão rosas de presente para as suas amadas, todo mundo sabe disso (principalmente eu, que ganhei uma do meu querido Pedro Quindim). As pessoas sempre acham que as rosas dos apaixonados são

vermelhas. Não necessariamente. A do Pedro era COR-DE-ROSA (perfeita pra mim). Mas a cor da moda é o AMARELO, pois é! Estou por dentro: os meus pais são floristas. Só que o papai não vai dar rosas (nem vermelhas, nem cor-de-rosa, nem amarelas) pra mamãe, já que ela espeta os dedos nelas todos os dias na floricultura, e uma carta não espeta.

3) Era dia 14 e fazia dois dias que a mamãe estava emburrada, porque dia 12 é Dia dos Namorados, e ela deu meias novas de presente pro papai e ELE não deu NENHUM PRESENTE pra ELA. Então ela tava dizendo que ele não a amava mais e pi-pi-pi e po-po-pó…

Quando cheguei ao topo da escada, abri a porta sem fazer barulho. Os meus pais estavam discutindo no quarto, tipo: "A culpa é sua…", "Você sempre diz isso…", "Nada disso, é você que…".

— Iuhu! — falei do jeito mais feliz que consegui. — Chegou uma carta!

Eles fizeram um silêncio mortal.

— Vocês ouviram? Chegou uma carta! — repeti, mais alto.

— Sim, obrigada, anda logo que você vai se atrasar! — a mamãe disse num tom que eu detesto: o que ela usa quando quer se livrar de mim.

O JM não estava mais na rua. Ele tinha ido sem me esperar. Melhor assim. Não tava a fim de falar com ele.

No fim do dia, no caminho de volta, também não conversamos. O meu irmão tinha se esquecido da carta. Duplamente melhor assim, só que a mamãe TAMBÉM: o envelope amarelo continuava na entrada. Eu o peguei DE NOVO, depressa. O JM não percebeu nada, porque tava ocupado demais devorando os cookies de caramelo-avelã-chocolate (os prediletos de todos). O envelope não parecia muito bem fechado. Assim, esquentei a chaleira pra abrir com o vapor. Dentro havia uma folha branca, e no centro, o desenho de uma tenda vermelha e amarela com estas palavras escritas:

OS REIS DA ESTRADA TÊM UMA SURPRESA PRA VOCÊS: LIGUEM O MAIS RÁPIDO POSSÍVEL PARA O NÚMERO 2605-3755!

Os Reis da Estrada! O meu circo amado! Uma surpresa pra vocês... Pra MIM? Fantástico! Peguei o telefone da sala e fui me esconder atrás do castanheiro (o limite de onde o sinal do telefone pega) pra fazer a ligação em paz. No segundo toque, ouvi uma gravação:

— *Senhoras z'e senhores, aqui quem fala são os RRReis da Estrada! Trazemos uma gRRRande notícia: temos algumas vagas para o nosso estágio de ciRRRco de junho. Emoção, risadas, arrepios por um pRRReço excepcionnnnal! ApRRRoveitem, senhoras z'e senhores!*

— *Tra tra dá tum dum pá tim pã tarará damdam!*

— emendou a mesma música do caminhão do circo,

acompanhada pelo ritmo do meu coração, que batia mais forte que um tambor.

Colei de novo o envelope. Arrumei o meu quarto feito louca, depois guardei a carta debaixo da blusa e desci pra encontrar a mamãe.

— Vem ver como o meu quarto tá arrumadinho!

Muito bem
Muito bem

Ela engraxava os sapatos.

— Daqui a pouco, querida, agora tô ocupada.

Conheço essa fala: significa que ela não virá nunca.

Depois do jantar, mudei de plano. Lavei as mãos, cortei + lixei + escovei as unhas pra caramba + passei creme cheiroso. Em seguida, recoloquei o envelope debaixo da blusa e RE-desci pra falar com a mamãe (que detesta mãos sujas, ela chama de mãos de porco).

— Você viu? Não estou com MÃOS DE PORCO: olha como as minhas mãos estão limpas e lindas, sente o cheiro bom também!

Ela tava cuidando das plantas.

— Tá, mas você já viu que horas são, Angelina? Você ainda nem colocou o pijama e já deveria estar NA CAMA!

Sacudi o envelope bem no nariz dela.

— E você viu ISTO, por acaso?

Ela pegou o envelope e me perguntou o que eu tinha DE NOVO em mente. No momento em que eu ia responder "NADA", o telefone tocou. A mamãe arregalou os olhos e fez sinal pra eu subir.

— Vai dormir, agora, já, imediatamente, NES-TE-MI-NU-TO!

Ratos podres raquíticos!

Na manhã seguinte, não tive coragem de RE-falar da carta, pra não aumentar a pressão. Mas a pressão aumentava na minha cabeça, podem acreditar! A prova? Na sala de aula, a professora Paola pediu pra dizermos uma palavra que tem sete letras e que começa com S. A minha boca foi mais rápida do que o meu cérebro:

— CIRCO!

— Tudo errado! — gritou a Eloá Filigrana. — CIRCO começa com C e tem cinco letras.

Ela me irrita, ela me irriiiiita!

— Nhé, nhé, nhé, todo mundo pode se enganar! — respondi.

Ela soltou a sua risada de anta.

— Principalmente VOCÊ, ha ha! — ela debochou.

Resultado? Fomos punidas:

Não se tolera insolência na nossa classe.

Pra copiar no presente, no pretérito perfeito, no futuro e até no pretérito imperfeito. Ela e eu. Bem feito pra ela, em todo caso!

À noite, à mesa do jantar, entre duas colheradas de sopa, o Vitor, meu irmão mais velho, disse:

— Vocês sabem que as férias começam amanhã? O Rodolfo Menezes vai fazer aula de patinação no gelo. Eu também quero.

— Eu também, eu também! — o JM emendou (que papagaio). — Vuuuuf, tchhhh, chuáááá em

cima das lâminas, desviando das barreiras. (Ele fazia mímica de patinação se contorcendo na cadeira - ridículo.)

— Numa próxima vez, quem sabe... — O papai sorriu.

A mamãe também (sorriu).

— Sem lamentações! — Ela se virou pra mim. — Angelina, você fez bem em insistir sobre a carta amarela. Vocês se lembram do palhaço Molengo? Falei com ele por telefone...

— Teteco Molengo, você quer dizer — corrigi.

(Se eu me lembro? Eu sonho com isso todas as noites! Ou quase...)

— Em comemoração ao Dia dos Namorados, nós nos demos de presente seis dias de férias! — O papai RE-sorriu ainda mais.

— Patinando no gelo? — os meus dois irmãos falaram e saltaram no assento juntos.

— Não exatamente... A mamãe e eu vamos ficar aqui... SEM VOCÊS!

— O palhaço me fez um preço ESPECIAL: TRÊS vagas pelo preço de UMA no estágio do circo Os Reis da Estrada, que começa depois de amanhã!

O Vitor fez uma careta, reclamando:

— Como assim TRÊS? Eu quero ir PATINAR!

— Eu também, eu também! (nem preciso dar o nome de quem disse isso.)

Que dupla de vira-casaca! Quando o Teteco Molengo me trouxe pra casa, depois que fugi no final do espetáculo (outra história muuuito legal que vocês TÊM de ler), ele aconselhou a mamãe a me matricular no estágio de circo, e o Vi e o JM logo disseram que queriam ir também.

Socorro!

Desejei com toda a minha força que isso não acontecesse NUNCA!

— "Eu quero", "eu quero"... Vocês não querem nada! — o papai alterou a voz, irritado. — Somos os pais de vocês e NÓS decidimos sobre as suas férias, FUI CLARO?!

Os meus irmãos baixaram a cabeça. E eu, o que deveria dizer? Em vez de partir feliz e tranquila pra fazer o MEU estágio, ia ter esses dois pavorosos nas minhas costas. Fiquei com um nó na garganta com o choque da notícia.

Eu escovava os dentes quando eles vieram me rondar, e adivinhem o que o Vitor teve a audácia de me falar!

— Por sua causa a gente não vai patinar!

E o Max-papagaio:

— Torce pra ter um trapézio gigante e acrobacias super-hiper-mega-legais nesse seu estágio, senão...

Epa! Há limites, NÉ? Acionei o meu TURBO--SOLUÇO (TÃO FORTE) que eles fugiram feito...

— RATOS PODRES RAQUÍTICOS! — lasquei na cara deles antes de decidir não falar mais com os dois (se possível, pelo resto da vida).

O encontro de saída pro estágio aconteceria no domingo de manhã em Fofovila (a uma hora da nossa casa). Não consegui comer nada no café da manhã. O meu estômago tava tão apertado quanto a minha garganta. A mamãe preparou um kit de sobrevivência com uma banana amassada, uma caixinha de leite e seis barras de chocolate.

— Mostra o seu piquenique! — o Vi exigiu ao subir no furgão Floréis (que usamos como carro de passeio).

Mostrei a língua pra ele e me virei pro outro lado.

Em Fofovila tinha um monte de pais, mães, filhos e filhas em volta do ônibus. A Glória (a trapezista dos Reis da Estrada) recebia todos com as suas botas e o seu chapéu, forrados e magníficos. O Vi foi se sentar na última fileira. O JM colou nele. Então eu me sentei na frente, do lado de uma menina com uma cara triste, que apertava um pinguim de pelúcia contra o peito.

— Tudo bem com você? — perguntei pra ela quando o ônibus saiu.

— Não conheço ninguém, só o meu primo Júlio, e ele nem se sentou do meu lado... — Ela suspirou e apontou pra um grupo que já tava dando risada.

— A gente pode se conhecer, então. Qual o seu nome?

— Lila. E o seu?

— Que lindo, Lila! Eu me chamo Angelina.

— É lindo também...

Contamos as nossas vidas uma pra outra. A Lila me falou que os pais dela são divorciados, que tem um hamster na casa do pai, que tem uma tartaruga na casa da mãe...

★ Depois, o grupo do Júlio começou a jogar bolinhas de papel.

★ A Glória fez a gente cantar *O chulé de quem não lava o pé* pra gente se acalmar.

★ Isso me deixou com fome, e comi a minha banana.

★ Isso deixou a Lila com fome, e dei uma das minhas barras de chocolate pra ela.

★ Daí, aproveitei pra comer uma também.

★ Depois, vimos a placa de entrada da cidade da Agitação. Zás!, tínhamos chegado.

— Passou rápido — a minha nova amiga comentou.

— Passou mesmo — respondi.

O ônibus estacionou na frente de uma casa com janelas bem-bem pequenas e um muro alto e bem cinza. O caminhão do circo estava no jardim.

Avistamos o Teteco Molengo (vestido com roupas comuns, não de palhaço) em pé diante da porta, ao lado de uma mulher grandona de blusa branca e touca, igual a uma enfermeira.

— Cuidado com os pés! Não quero sujeira dentro de casa! Tire os sapatos! — ela repetia pra cada criança que entrava.

O palhaço tapou o nariz e começou a andar igual a um pinguim, dizendo:

— Descalçoooo... descalçaaaa... não quero sentir cheiro de fossaaaa!

Todo mundo riu. Até o JM. Mas a mulher não. Nem o Vitor.

— Alberto, não começa! — ela resmungou.

— Meu nomeeee não é Albertoooo! Como eu me chamo, crianças?

— TETECO MOLENGO! — respondi antes de todos os outros.

— Muito bem, Angelina! Vamos aplaudir bem forte!

Ele se lembrava de MIM?! Sem querer me gabar, mas isso me deu um ânimo de doido.

Angelina Purpurina

a sortuda

Fanny Joly

Ilustrado por
Ronan Badel

TRADUÇÃO
ANDRÉIA MANFRIN ALVES

Milkshakespeare é um selo da Faro Editorial.

Diretor editorial: **PEDRO ALMEIDA**

Coordenação editorial: **CARLA SACRATO**

Assistente editorial: **LETICIA CANEVER**

Preparação: **TUCA FARIA**

Revisão: **THAÍS ENTRIEL**

Adaptação de capa e diagramação: **SAAVEDRA EDIÇÕES**

Dados Internacionais de Catalogação na Publicação (CIP)
Jéssica de Oliveira Molinari CRB-8/9852

Joly, Fanny

    Angelina Purpurina : a sortuda / Fanny Joly ; tradução de Andréia Manfrin Alves ; ilustrações de Ronan Badel. — São Paulo : Milkshakespeare, 2023.
    96 p. : il.

    ISBN 978-65-5957-407-0
    Título original: Cucu la praline gagne le gros lot

    1. Literatura infantojuvenil francesa I. Título II. Alves, Andréia Manfrin III. Badel, Ronan

23-2775   CDD 028.5

Índice para catálogo sistemático:
1. Literatura infantojuvenil francesa

1ª edição brasileira: 2023
Direitos de edição em língua portuguesa, para o Brasil, adquiridos por **FARO EDITORIAL**

Avenida Andrômeda, 885 — Sala 310
Alphaville — Barueri — SP — Brasil
CEP: 06473-000
WWW.FAROEDITORIAL.COM.BR

SUMÁRIO

Observe todos com atenção, eles estão nestas histórias...

Vitor, o irmão mais velho.

Angelina Purpurina, conhecida como Pirralha.

José-Máximo, o irmão do meio, também chamado de Zé-Max, JM ou Mad Max.

Pedro Quindim, a paixonite.

Pedro Gomes.

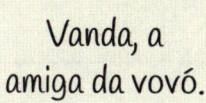

Vanda, a
amiga da vovó.

1. TricôTurbo

Tem alguém aí?

ERA UM DOMINGO IDEAL. O CÉU DE JUNHO ESTAVA azul como um pijama de bebê gigante. O sol fazia o seu trabalho de sol, ou seja, brilhava, mas não muito. Prefiro assim: o calor enlouquecedor derrete os meus miolos. Eram onze da manhã. Umas nuvens pequenas passavam de vez em quando, só pra lembrar que nuvens existem. Mas elas não insistiam muito: desapareciam rapidinho atrás dos telhados dos vizinhos, da torre com o sino da igreja, das colinas lá longe…

Eu estava deitada na minha toalha de praia com flores cor-de-rosa (ela é nova, adoro!) bem no meio da sacada do quarto dos meus irmãos.

Antes de continuar, acho que é bom explicar duas ou três coisinhas, principalmente pra quem não me conhece. (O quê? Ainda tem alguém que não me conhece? Isso TEM que acabar! Estou brincandoooo.) É o seguinte:

* Meu nome é Angelina Purpurina, tenho oito anos.
* Tenho dois irmãos IRRITANTES, às vezes TERRIVELMENTE irritantes.
* Eles se chamam José-Máximo (ou JM ou Mad Max), nove anos, e Vitor, onze anos.
* A gente mora na cidade de Rigoleta, que fica perto do mar.
* Nossa casa fica na rua dos Pinguins, 27.
* Os meus irmãos dormem no mesmo quarto, que é esse que tem uma sacada.
* Eu durmo sozinha. Não reclamo, ah, não mesmo! Se for pra ter um irmão na minha cola, prefiro não ter sacada.

Voltemos ao momento em que esta história começa. Os meus irmãos NÃO estavam no quarto deles, senão eu teria me mandado, lógico. Estavam enfiados na garagem, construindo um dos seus "projetos ultrassecretos". Eles podem ficar lá cochichando os segredinhos deles que não tô nem aí. A única coisa que me interessa na vida é que aqueles dois me deixem em paz. Foi o caso naquele domingo, eu estava em paz como uma verdadeira rainha. A rainha de Rigoleta. Com o ouvido esquerdo, eu escutava o Vi e o JM baterem, serrarem e martelarem feito tontos. Com o ouvido direito, escutava Ratos Gordos, a banda de rock preferida do Vitor, no radinho dele, aquele que ele me proíbe de usar.

Um cheiro delicioso de aspargos subia da cozinha. Quando a mamãe cozinha aspargos, ela abre a janela porque acha que cheira mal. Não concordo. Amo esse cheiro, ele satisfaz as minhas narinas antes de me satisfazer de verdade. Adoro aspargos, e vocês?

Enfim.

O meu pensamento voava entre os aspargos e o menino mais maravilhoso da minha escola: o Pedro Quindim. Eu me imaginava escrevendo no céu a lista das qualidades dele:

- ✤ Ter um cheiro bom.
- ✤ Me escutar quando falo.
- ✤ Ter cara de que acha as minhas palavras muito interessantes.
- ✤ Estar sempre bem penteado.
- ✤ Vestir quase sempre azul, a cor que mais combina com rosa, que é a minha cor predileta.
- ✤ Ser perfeito.
- ✤ Ser insuperável em…

De repente o portão bateu.

— Tem alguém aí? — A vovó avançava no jardim, debaixo de um chapéu coberto de pompons marrons (a cor preferida dela, a cor que mais detesto).

Um outro chapéu de pompons (violeta) a acompanhava...

A mamãe apareceu na entrada.

— Margarida, que surpresa!

— Você não está vestida, Sabrina?

— Como assim? — a mamãe estranhou.

O nome dela é mesmo Sabrina, mas ela tava vestida debaixo do avental.

A vovó não parecia muito contente.

— É bom lembrar que a Lulu atravessou o país SÓ PRA ISSO!

O chapéu violeta subiu. Embaixo dele avistei a melhor amiga da vovó, a Lucília Balotino (apelido Lulu).

— Ah, o seu filho comeu bola, Margarida... — Ela suspirou. ("Comer bola" significa "esquecer", ser "desatento". Aprendi isso depois.)

Eu não tava entendendo direito, mas tinha cheiro de confusão misturado com o dos aspargos.

— PATRÍCIO! — a mamãe chamou pelo papai, meio que em pânico, deu pra notar.

Peguei a minha canga e desci rapidinho. As coisas continuaram rapidinho também. Explicação: naquele domingo, dia 13 de junho, era a festa do CTR, o Clube de Tricô de Rigoleta (que a vovó frequenta). Por isso a Lucília tinha vindo. Antes de se mudar de Rigoleta, ela fazia parte desse clube. A vovó repetiu várias vezes que avisou o papai no COMEÇO DE FEVEREIRO pra ele marcar o dia 13 de junho com caneta vermelha fosforescente no calendário, mas ele esqueceu (de todo modo, acho que não existe vermelho fosforescente; pelo menos a gente não tem uma caneta dessa cor). Então, o papai levou uma bronca como se tivesse oito anos. E ele baixou a cabeça como se tivesse sete, ou até seis...

— Bom, nós estamos indo! Não demorem pra nos encontrar, e BEM arrumados! — E depois de dar a ordem, a vovó pegou no braço da amiga.

A mamãe correu pra buscar os meus irmãos na garagem.

— Obrigados?! Não tô acreditado! Somos O-BRI--GA-DOS?! — O JM fez uma careta.

O Vi tentou escapar falando que tinha que estudar (desde que foi pro quinto ano, o senhorito se acha o primeiro-ministro).

— Silêncio! Vão AGORA se arrumar! — o papai interrompeu.

Subi pra colocar o meu vestido mais bonito, um de bolinhas, de princesa. Como sou muito legal, vesti a blusa cor de cocô de galinha que a vovó me deu no Natal por cima do vestido. A minha ideia era tirar assim que ela o reconhecesse. Gosto muito da minha avó, mas se ela tricotasse menos blusas pra mim, eu ia gostar mais ainda. Só que isso não vai acontecer porque ela adora tricotar, e ninguém tem coragem de dizer que as blusas que ela tricota são horrorosas.

— Rá, você tá ridícula! — o Vi me falou quando desci as escadas.

— Não sou eu, é a minha blusa, e coloquei pra deixar a vovó contente, que isso fique claro!

— Blá-blá-blá, Pirralha baba-ovo! — O Max me mostrou a língua.

— COMO É?! — rosnei.

Ele não teve coragem de repetir, porque os nossos pais estavam chegando. Mas não me intimidei. Ora! Há limites, né?

— Papai e mamãe, vocês ouviram? OS SEUS FILHOS me chamaram de PIRRALHA BABA-OVO porque coloquei a minha blusa pra deixar a nossa querida avó feliz.

O meu irmão mais velho só teve tempo de me sussurrar de boca quase fechada: "E e aga!" (tradução: "Você me paga"). Eles levaram uma ESFREGA! Eu sei: não é uma palavra muito bonita, mas não tem outra...

Angelina 007

DO FINAL DA RUA DA PREFEITURA JÁ DAVA PRA OUVIR os flonflons. Vocês conhecem os flonflons? Não? Claro que siiim! São essas músicas que lembram aquelas danças de antigamente, que costumam ter acordeão. A festa estava acontecendo no SALÃO DE FESTAS (tem lógica) que fica colado no prédio da prefeitura, e que também é chamado de SALÃO POLIVALENTE...

— Porque esse salão serve pra tudo — o papai me explicou um dia.

— Principalmente pra qualquer coisa! — completou a vovó, que estava lá naquele dia.

Exemplos de festas que já vi naquele salão:

* Concurso de AAA (Amistoso dos Amantes de Acelga – eca!).

* Casamento de pessoas que não conheço (doces e sorvetes deliciosos).

* Recital de violino do Pedro (sensacional).

* Exposição de PPP (Pinturas Pintadas com os Pés — com os pés, é pra aplaudir).

* Festival do Queijo Roquefor (eca!).

Desta vez a vovó com certeza não ia dizer que a festa dela era uma coisa qualquer! Pelo contrário. Ela estava à nossa espera na porta com um sorriso aberto do tamanho de uma banana.

— Ah, já estava na hora! Mas, desta vez, pelo menos, todos estão CHIQUES. Estou orgulhosa de vocês; e principalmente de você, Angelina. Ficou linda com essa blusa!

Dentro de um chapéu

Nós, as meninas, ficamos num dormitório só de meninas, no primeiro andar.

A Glória e a Paulete (a mulher grandona) ficam cada uma em um quarto, nas duas pontas do corredor. Os meninos, no segundo andar, entre o Teteco Molengo e o Paulino (o mágico). Um andar e quatro vigias entre mim e os meus irmãos: nada mal como proteção (melhor do que em casa, porque lá o quarto deles fica do lado do meu e, com exceção de quando a vovó tá em casa, de vez em quando, ninguém nos vigia quando os nossos pais estão na loja)...

A Glória mostrou as nossas camas por ordem alfabética. Eu e a Lila (o sobrenome dela é Pereira) ficamos do lado uma da outra, iúpi! Depois ela distribuiu fichas de plástico com números marcados. Assim que nos organizamos, ela pediu pra gente descer pro SORTEIO.

Sorteio? Essa palavra me deixou preocupada.

— Por que tem um sorteio? — perguntei pra ela tranquilamente.

— Pra formar os grupos, Angelina.

— Por favor, por obséquio, a senhora...

Ela colocou a mão no meu ombro.

— Pode me chamar de você...

— Por favor, peço que você não me coloque com os meus irmãos!

— Está com medo de que eles te importunem?

— Como você sabe?

— Tenho seis irmãos mais velhos, acredita?

— Uau! E a senhora... e você... você ainda tá viva e bonita e grande, não acredito!

Ela deu um sorriso que parecia um beijo.

Embaixo, todos nós colocamos as nossas fichas com os números em um chapéu. Foi o mais novo, o Matheus, de seis anos, quem fez o sorteio com os olhos fechados. Cada vez que ele falava um número, o Teteco Molengo anunciava:

— Grupo 1, fora do comum! Grupo 2, não deixe pra depois! Grupo 3, chegou a sua vez!

Todo mundo ria... menos os meus irmãos, principalmente quando eles descobriram que:

- ❧ O Vitor estava no grupo 1, o grupo dos PALHAÇOS, com o Teteco Molengo.
- ❧ O JM no grupo 2, ANIMAIS, com o Paulino.
- ❧ Eu tava no 3, TRAPÉZIO, com a Glória (e a Lila, RE-iúpi).

— Quais são os animais? — o JM perguntou com a voz trêmula e a cara de quem via uma tragédia bem diante de si.

— Você vai descobrir! — o Paulino respondeu.

— Mas... Mas... E a mágica? E o malabarismo? — o meu irmão do meio continuou.

— Os três grupos vão fazer isso — o palhaço afirmou. — No circo é preciso saber fazer tudo!

Uma voz surgiu do fundo da sala:

— Esse sorteio foi marmelada, vocês sabiam os nossos números e os nossos nomes! Posso mudar de grupo?

Era o Vitor. O Teteco Molengo revirou os olhos como se fossem bolinhas de gude e berrou com uma voz de trompete:

— Ah, irmãos Purpurina! Vamos parar com as perguntas bobas? Mudar de grupo: nem pensar, meu garoto que só sabe reclamar!

Todos deram risada. Menos o Vi, que ficou vermelho igual a um tomate.

— Que esquisito, o sobrenome deles também é Purpurina, igual ao seu! — A Lila franziu as sobrancelhas.

— Não é esquisito, eles são meus irmãos!

— Hein? Por que você não me contou?

— Porque quanto menos falo deles, mais me sinto bem.

— Só tenho uma irmã mais nova. Eu ia gostar de ter um irmão mais velho!

— Aham, se você tivesse os meus irmãos, não diria isso. Podemos falar de outra coisa, por favor? Quero ESQUECER esses dois!

Deu certo. Me esqueci deles. Foi maravilhoso.

Resumo do meu progresso:

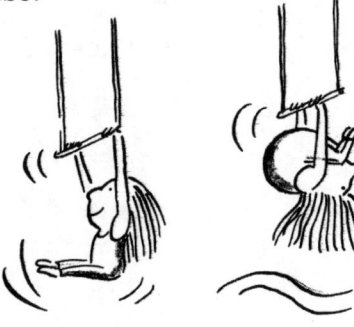

- 🌱 SEGUNDO DIA (segunda-feira): só eu, dos 11 do grupo 1, consegui subir no trapézio fixo + fiz malabarismo com 2 bolas + fiz um lenço desaparecer.
- 🌱 TERCEIRO DIA (terça-feira): fiz 17 idas + 17 voltas + 34 meias-voltas no trapézio fixo (recorde) + malabarismo com 3 bolas (recorde) + fiz aparecer um coelho (de pelúcia). A Glória disse que eu era muito boa, e também me deu parabéns porque ajudei a Lila, que não conseguia fazer malabarismos.

O Vi não comeu nada no jantar. O Júlio, que tá no mesmo grupo que o JM, contou pra Lila (que me contou) que o Paulino ameaçou mandar o Max de volta pra casa se ele continuasse a pular pra todo lado e a dizer que a Pititica (a cabra inteligente dos Reis da Estrada) se chamava, na verdade, apenas Titica.

🌱 QUARTO DIA (quarta-feira): só eu tive o direito de testar o trapézio de balanço (teste bem-sucedido) + a Glória me chamou de EXCELENTE ELEMENTO na frente de todo mundo + não vou dizer mais nada senão vão achar que tô me sentindo uma celebridade...

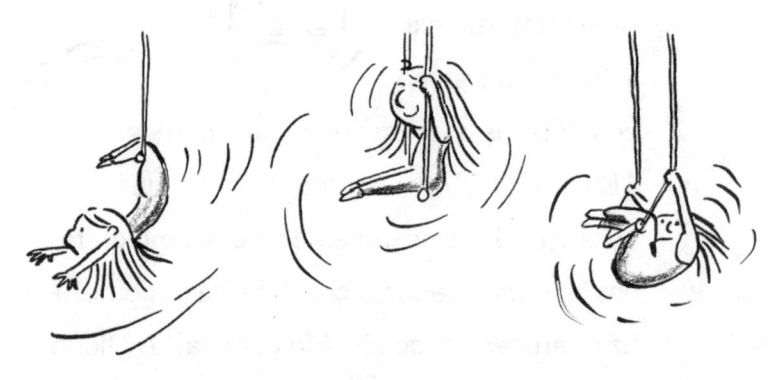

À noite, o Teteco Molengo anunciou que antes de ir embora a gente ia apresentar um miniespetáculo que ia ser filmado e colocado no *site* dos Reis da Estrada pra que os nossos pais pudessem ver. Disfarcei a minha alegria. Não era o momento de os meus irmãos prestarem atenção a mim (entre parênteses, eles estavam com umas caras sinistras).

Depois do jantar, a Glória me chamou de canto:

— Angelina, você tem um grande talento para as atividades do circo. Eu gostaria de criar uma apresentação de trapézio e malabarismo com você, para a abertura do miniespetáculo...

Eu mal acreditava no que ouvia! Parecia um sonho. Mas real!

Ela me levou até o depósito. Também quase não acreditei no que via: as fantasias, as perucas, os chapéus, as lantejoulas, as bijuterias, as sapatilhas: uma verdadeira caverna do tesouro do Ali Babá!

A Glória pegou uma capa de proteção de roupas.

— Você vai experimentar isto, Angelina. A minha fantasia de palco de quando eu tinha a sua idade. Se te servir, eu te empresto, tenho outra igual em tamanho grande, acho que vai ficar estiloso...

Estiloso? Tapei a boca com a mão de tanta Beleza Pura que era tudo aquilo. Uma saia de tule de elástico com camadas de *strass* cor-de-rosa, violeta com dourado e prateado. No maiô, pompons de renda cintilante. E ainda mais magnífico: uma tiara combinando, que ela também me emprestou.

AleRRRtaaaa!

Quando voltei pro dormitório, a Lila quis saber onde eu estava. Contei uma mentirinha, disse que tinha perdido o meu casaco e blá-blá-blá, mas não funcionou. Eu minto melhor pras pessoas chatas do que pras legais, e vocês? Contei a verdade pra ela. A Lila quis ver a minha fantasia, eu já devia ter imaginado.

— Tá bom, mas só você — eu disse —, senão os outros vão ficar falando.

Descemos até o banheiro do térreo, pra sermos discretas.

No momento em que eu colocava a minha saia de tutu na frente do espelho do banheiro vocês conseguem adivinhar quem apareceu? O JM e o Vitor! Eu e a Lila nos atiramos em um dos reservados.

— A gente já te viu, PIRRALHA! — os meus irmãos resmungaram atrás da porta.

Não respondi. A Lila fechou o trinco, com a mão tremendo. Pelo vão debaixo da porta eu via os sapatos deles: cheios de barro.

Quebrei o silêncio, não tinha escolha:

— O que vocês estavam fazendo lá fora, seus RATOS LAMACENTOS? Saiam agora ou deduro vocês!

Eles foram embora. Fim… PAZ! Só até a manhã seguinte, INFELIZMENTE!

Quando abri o meu armário: a capa de proteção da roupa tava pendurada, achatada igual a uma panqueca.

O tutu e o diadema haviam sumido! Corri pra avisar a Glória, que correu pra avisar o Teteco. Dois minutos depois, um alarme ecoou pela casa toda:

— AleRRRta, aleRRRta! Uma fantasia de apresentação de valoRRR exxxxcepcional desapaRRReceu! PoRRR favoRRR devolveRRR em cinco minutos ou acionaRRRemos os guaRRRdas!

Três minutos depois, a Glória me chamou em um escritório. Os meus irmãos estavam lá. E o tutu também. E a tiara. E o Teteco Molengo, que NÃO ria nem um pouco desta vez, ao dizer:

— E então, iRRRmãos PuRRRpuRRRina? PoRRR acaso esse é um compoRRRtamento coRRRRRReto entRRRe iRRRmãos e iRRRmã?

— Eu não fiz n...

— Nada de eRRRRRRado, já sabemos disso, Angelina! — ele me interrompeu. — AgoRRRa vocês vão fazeRRR algo INTERESSANTE para apRRResentar juntos, os TRÊS, duRRRante o espetáculo! Senão, queRRRidos iRRRmãos, coloco vocês de volta no tRRRem! ENTENDIDO?!

O Vitor murmurou um minúsculo "sim". O JM, um "tá" bem fraquinho.

Pensei que não fôssemos conseguir. Principalmente no pouco tempo que tínhamos: só uma noite, já que o Teteco nos proibiu de nos separarmos dos nossos grupos durante o dia. Ainda bem. Senão a minha apresentação em duo iria por água abaixo.

Às vezes, na vida, quando surge uma urgência, a gente faz mais coisas em menos tempo do que se tivesse mais tempo e menos coisas pra fazer…

Não sei se fui clara, mas conseguimos!

Principalmente, EU consegui. Foi assim:

— O que vocês sabem fazer de circo? — perguntei pros meus irmãos logo de cara.

Eles foram obrigados a admitir que: NADA.

— Bom, nesse caso: me obedeçam! — ordenei.

Eles NEM protestaram. Agiram como verdadeiros cordeirinhos mansos. MÁ-GI-CO!

Pro Vitor eu inventei o palhaço RATONULO, que erra todas as piadas, os malabarismos, os truques de mágica…

Pro José Máximo: o TROPEÇOMAX, um acrobata que não para de cair.

Eu interpretei a diretora, do alto do trapézio. E o incrível é que fizemos sucesso. Não tanto quanto o meu duo com a Glória, mas quase. Eu teria preferido menos (sucesso pra eles). Mas não podemos ser mesquinhos, como diz a Lila. Concordemos...

Quando o ônibus chegou de volta a Fofovila, o papai e a mamãe cobriram a gente de beijos e de felicitações.

— Nós vimos os três JUNTOS no *site*, vocês são incríveis, estamos muito ORGULHOSOS de vocês, crianças!

Os meus irmãos olhavam pros próprios pés (veio a calhar, porque a Paulete os fez limpar e até engraxar os sapatos).

Quando chegamos em casa, não foi tão legal assim: durante o calmo período de comemoração do Dia dos Namorados, os nossos pais tiveram tempo de preparar um programa de estudos pra segunda semana de férias...

Sobre a autora e o ilustrador

FANNY JOLY MORA EM PARIS, PERTO DA TORRE EIFFEL, com seu marido arquiteto e três filhos. Ela publicou mais de 200 livros juvenis pelas editoras Bayard, Casterman, Hachette, Gallimard Jeunesse, Lito, Mango, Nathan, Flammarion, Pocket, Retz, Sarbacane, Thierry Magnier... Seus livros são frequentemente traduzidos e já ganharam muitos prêmios. Duas séries juvenis (*Hôtel Bordemer* e *Bravo, Gudule!*) foram adaptadas para desenho animado. Ela também é romancista, novelista, escritora de peças de teatro, roteirista de cinema e de televisão. Sob tortura, ela um dia confessou que *Angelina Purpurina*, o livro que você tem nas mãos, é, sem dúvida, o mais autobiográfico de seus textos... Você pode consultar o site dela em: www.fannyjoly.com

RONAN BADEL NASCEU NO DIA **17** DE JANEIRO DE **1972** em Auray, na Bretanha. Formado em artes visuais em Estrasburgo, ele trabalha como autor e ilustrador de livros infantojuvenis. Seu primeiro livro foi publicado pelas edições Seuil Jeunesse, em 1998. Depois de muitos anos em Paris, onde dá aulas de ilustração em uma escola de artes, Badel voltou a morar na Bretanha para se dedicar à criação de livros infantis. Em 2006, publicou *Petit Sapiens*, seu primeiro livro de histórias em quadrinhos, com texto e ilustrações próprios.

ESTA OBRA FOI IMPRESSA
EM JUNHO DE 2023